|繪本介紹|

「老闆！我要這塊紅通通的肉，幫我切好，秤一下多少錢？」

上市場囉！市場是一個存在於真實生活裡的大教室，各種蔬果魚肉拼湊出屬於市場的色彩學；如何從顏色判斷食材的種類？該使用哪種刀具來處理食材最合適？你甚至還會發現，不同的商家店鋪使用的秤具也有著不同的大小款式。這些學校裡沒有教的事，是你必須親自走進市場才能學到的；而擔任著這些課程的老師，自然就是在市場裡擁有豐富經驗的攤商阿姨叔叔們了。

傳統市場的迷人之處就在於顧客與攤商之間的直接互動；在每一次的買賣過程裡，你不僅可以充分領會到不同攤商各自擁有的專業與知識，也在這些一往一返的對話裡，和他人交換了彼此的料理心得與生活感受。這正是無可取代的市場人情味哪！

本系列繪本故事裡的三位小朋友，在繽紛熱鬧的市場裡開啟了一場場的探險，帶著我們一起認識市場裡的色彩—《五顏六色的市場》、器具—《看刀》，秤具以及度量衡—《妹妹的重量》；市場的生機與活力、穿梭其間的流動人群，以及屬於三位小朋友們自身的小故事，也成為這趟閱讀旅程裡另一幅迷人的風景。一場關於市場的旅行此刻即將啟程！

|作者簡介|

李俐慧，東海大學工業設計系副教授。主張設計專業應積極介入公共場域建構，樂於透過各種媒介傳遞設計的價值。「五顏六色的市場」是一本想透過故事傳達生活場域觀察的趣味與美好，期待大家也能透過繪本的描寫一起愛上傳統市場，用自己的五感細細體驗市場的一景一物。

五顏六色的市場

文 李俐慧
圖 蔡順如

平常總是要媽媽三催四請，
還賴在床上不願意睜開眼的小梅，
今天早上鬧鐘都還沒響，
就自己一骨碌地下床去找奶奶了。

原來小梅跟奶奶約好了，
今天要陪奶奶到市場採買包粽子的材料，
這是小梅第一次逛傳統市場，她很期待，
想知道奶奶每天要去的地方到底長什麼樣子，
有什麼好吃好玩的東西。

跟著奶奶往市場走去，
遠遠地就看到一排磚紅色的老房子，
上面掛著花花綠綠各種顏色的招牌。

奶奶指了指說：

「到囉！就是那裡！

我們得趕快去買粽葉、買肉，

喔！對了，還得買香菇和鹹蛋黃。」

從一排店舖中的一個小通道走進去，
小梅的眼睛都亮了起來！

15 烤香腸
30 大腸包小腸
25 糯米腸
60 香腸套餐
50 飯糰
80 便當
30 蘿蔔糕
35 蘿蔔糕加蛋
35 肉燥飯
35 肉燥麵
15 紅茶
15 奶茶
25 豆漿紅茶
20 豆漿
70 海鮮意麵
75 牛肉意麵
60 豬肉意麵
50 蔬菜意麵
50 泡菜意麵
15 白飯
25 味噌湯
25 蛋花湯
人多時
請排隊
請先付款

「奶奶，這個入口好神奇喔！
這裡面有好多條小通道，
每一條都看起來很有趣，
我好想逛一逛，可以嗎？」
「好，好，不過得先等我把
包粽子的材料買齊了才行喔！」

美味
外送專線 (04)2256-2
林記小吃
炒飯·麵·台式小菜
張魯肉
0年的好滋味
林記
小吃
週一
公休
四十年老店
祖傳魯肉飯
緊急出口

奶奶一邊笑瞇瞇地回答，
一邊牽著小梅往豬肉攤走去。
豬肉攤上亮著紅紅的日光燈，
把一塊塊豬肉照得紅咚咚。

買好了豬肉，奶奶急急忙忙趕去買粽葉。

店裡的粽葉有好幾種，
有一種看起來黃黃乾乾的，
混著一些棕褐色的小斑點，
老闆說那是桂竹葉。
另一種是油油亮亮的草綠色，
那是麻竹葉。

還有一種也是綠色的，
葉子寬寬大大的，
聞起來香香的，
它的名字是月桃葉。
買完了粽葉後，
奶奶請老闆順便再秤了一些黑褐色的乾香菇，
以及橘紅色的小蝦米。

買好了粽葉，小梅提醒奶奶：
「奶奶，我們還要去買鹹蛋黃喔！」

「對耶！ 妳看我差點忘記了。
謝謝妳提醒我，
前面拐個彎就是囉！」

土司
聖華宮
20
豆漿
30
豆花

「奶奶，妳看！
這鹹蛋黃看起來有點透明，
像一顆寶石，好漂亮喔！」

黃澄澄的鹹蛋黃在燈光下顯得晶瑩透亮。

好不容易買齊了包粽子的食材，

小梅迫不及待地想要到處去逛逛。

突然，她肚子咕嚕地叫了一聲，

奶奶聽到忍不住笑了出來。

「哎呀，妳急著跟我來逛市場，沒吃早餐吧！

走，我帶妳去吃東西。」

60 80

奶奶拉著小梅來到一個攤子前，
攤子上擺著一大塊黃黃QQ的，
以及黑黑亮亮的，
還有一大團一條一條的粉白色東西，
小梅沒吃過，覺得很新奇。

奶奶像個小孩一般開心地大喊：

「老闆，我要兩碗粉粿仙草米苔目！」

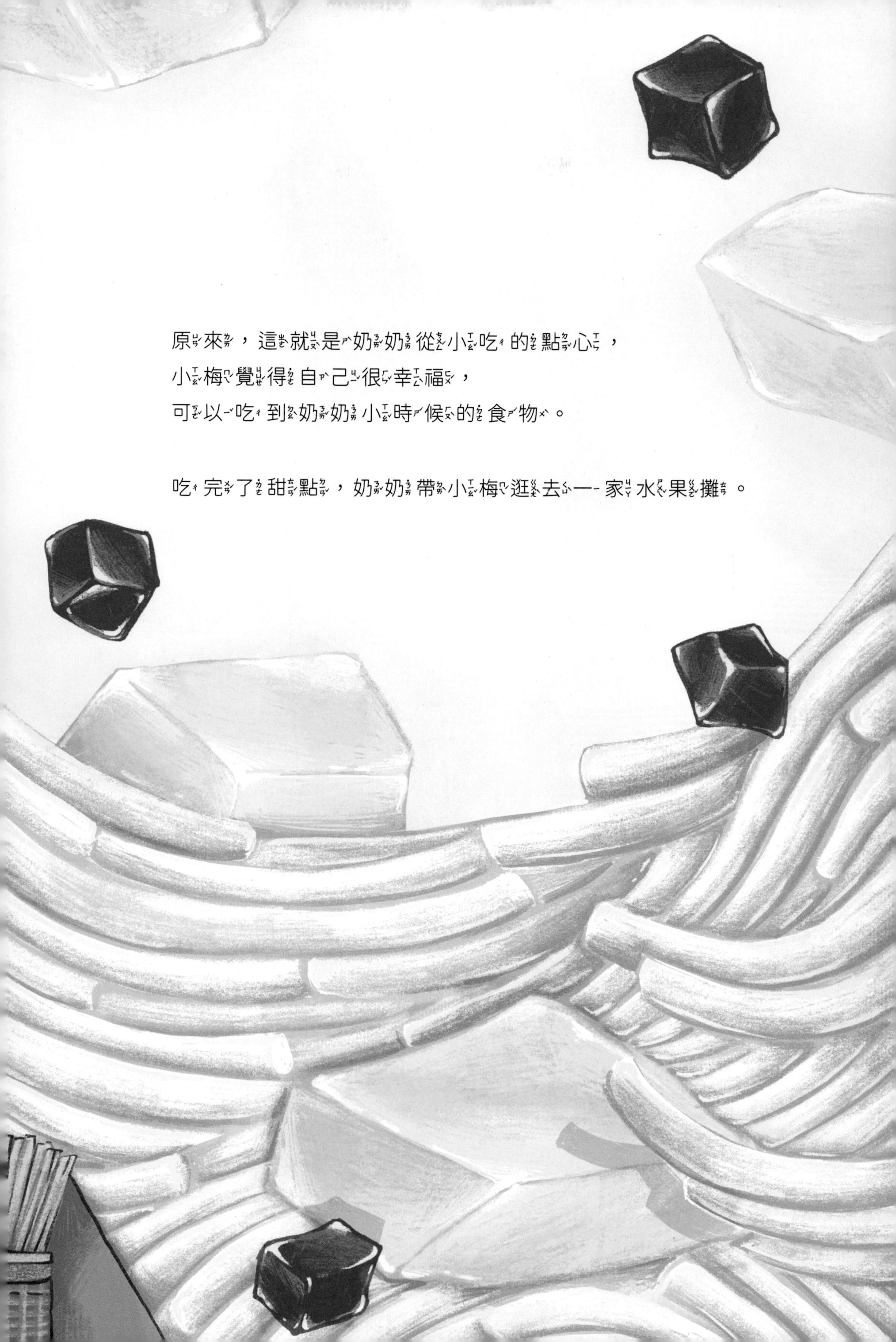

原來，這就是奶奶從小吃的點心，
小梅覺得自己很幸福，
可以吃到奶奶小時候的食物。

吃完了甜點，奶奶帶小梅逛去一家水果攤。

老闆是奶奶的小學同學，
很熱絡地跟奶奶打招呼，
也切水果請小梅試吃。
夏天是水果種類最多的季節，
攤位上擺放著各種顏色的水果，
有些水果小梅吃過，有些沒有。

80/斤
水
林
50/串
林
水果
高級

老闆林爺爺教小梅認識水果。

「妳看，這個小小綠綠的是台灣的土芒果，現在已經很少囉！」

「這個紫紅色長得像火焰一樣的是火龍果，有的切開是白色的，有的切開是紫紅色的喔！」

這個外殼一顆一顆粗粗刺刺的，
有點粉紅粉綠的叫做荔枝。
如果放久了，
外殼會慢慢變成茶褐色，
那就不新鮮不好吃囉！」

「這個外皮深紫色的是紅肉李，
果肉也是紫紅色，
吃完後妳的嘴巴和牙齒會染色喔！」
林爺爺邊說邊表演出血盆大口的樣子，
然後開心哈哈哈地笑了。

小梅跟著奶奶逛了一大圈市場，
覺得市場裡賣東西的叔叔阿姨、
爺爺奶奶都很親切，常常會跟她聊天說話，
而且市場裡五顏六色，看起來很有活力，
跟媽媽以前帶她去的超市感覺很不一樣。

原來這就是傳統市場！
難怪奶奶每天都要來逛市場！
小梅轉頭看著奶奶，奶奶也正低頭看著她，
兩個人笑瞇瞇地手牽手，轉身慢慢地散步回家去。

五顏六色的市場 / 李俐慧文 ; 蔡順如圖.
-- 初版. -- 臺北市 : 沐風文化出版有限公司出版 ;
臺中市 : 東海大學人文創新與社會實踐計畫發行, 2022.02
32面 ;21x29.7公分
注音版
ISBN 978-986-97606-7-6(精裝)

1.CST: 市場 2.CST: 攤販 3.CST: 繪本

498.7 111000347

五顏六色的市場

作者 / 李俐慧　繪者 / 蔡順如

美術執行統籌 / 雙美圖設計事務所

出版協力 / 林韋錠、張郁婕、李晏佐

指導單位 / 科技部人文創新與社會實踐計畫

發行所 / 東海大學人文創新與社會實踐計畫

地址 / 407224台中市西屯區台灣大道四段1727號

網址 / http://spuic.thu.edu.tw/

Email / thu.spuic@gmail.com

出版經銷 / 沐風文化出版有限公司

地址 / 10052台北市泉州街9號3樓

Email / mufonebooks@gmail.com

印刷 / 龍虎電腦排版股份有限公司

出版日期 / 2022年2月 初版一刷

定價 / NTD320

ISBN / 978-986-97606-7-6

封面題字 / 李靄玲

特別感謝 / 林惠真(東海人社計畫執行長)、陳毓婷（專任助理）、湯子嫻（兼任助理）、廖彥霖（兼任助理）、東海大學工業設計系107-2《環境共生設計實踐》及108-1《環境共生設計導論》的全體修課學生、陳映佐（二市場店家）、台中第二市場。